D1098063

Editorial Fantástico Sur

Antarctic Peninsula

Península Antártica

WILDLIFE & LANDSCAPES ▪ *PAISAJES Y VIDA SILVESTRE*

Enrique Couve & Claudio F. Vidal

Credits / *Créditos*

General Edition / *Edición General*:
Editorial Fantástico Sur
José Menéndez 858, Depto. 4, Casilla 920, Punta Arenas, Chile
Fono/Fax: +56 61 247 194 • e-mail: info@fantasticosur.com
www.fantasticosur.com
Design / *Diseño*: Ximena Medina O.
Digitalization / Digitalización: Fabián Mansilla
Translation assistance by Greg Greer

First Edition / *Primera Edición*, Agosto 2005

Registro de Propiedad Intelectual Inscripción N° 148854
ISBN: 956-8007-11-3

Antarctic Peninsula

Península Antártica

Antarctic Peninsula

The Antarctic Peninsula is a promontory of land and ice that breaks the apparent radial symmetrical shape of the white continent. It begins approximately at 75ºS, extending northwards to 62ºS, almost reaching the southern tip of South America. Therefore, the peninsula is the most accessible region of the Antarctic and it is possible to visit by sailing for just a couple of days through the stormy Drake Passage. The northernmost tip of the Peninsula is surrounded by a group of rugged islands known as the South Shetlands.

The Antarctic is certainly a continent of superlatives, as it is the coldest, driest and windiest of all. Average annual temperature in the interior is –67ºF / -55ºC (the coldest temperature ever recorded was –129.2 / –89.6ºC), although the temperatures along the coastal areas are more stable ranging between 17.6ºF / -8ºC and -4ºF / -20ºC during the winter and between 33.8ºF / 1ºC and 28.4ºF / -2ºC during the summer. On the other hand, wind velocity ranges from 9.3 to 19.8 miles per hour (15-32 km./hour), with maximum wind speeds exceeding 99 miles per hour (160 km./hour). This continent also has the longest nights during the winter and endless days during the summer and possesses other records such as the continent with the least amount of soil, the largest amount of fresh water and being entirely surrounded by one of the stormiest yet most productive oceans in the world.

It is impossible to neglect the fact that Antarctica is almost entirely covered with ice, and only 3% of the continents surface is exposed. The huge Antarctic ice sheet flows in all directions towards the Southern Ocean, having an average thickness of 6,500 feet (2,000 m.) (with a maximum of 13,000 feet / 4,000 m.) transforming Antarctica in the world's highest continent. The enormous ice sheet exerts tremendous weight over the continent, literally sinking it. Currently, a significant portion of the continental surface lies below sea level.

In strict geological terms Antarctica is actually comprised of two continents: eastern and western Antarctica, each one formed by huge continental plates, with the vast eastern plate the largest while the second plate form the Antarctic Peninsula and western Antarctica.

Along the entire Peninsula there is volcanic activity. The recent sedimentary activity as well as volcanic activity have favored the fossilization of a great array of plants and animals. The earliest fossil records date back from the Cambrian Period, which began some 600 million year (my) ago. At Seymour Island, in the Weddell Sea, rich fossil deposits where discovered, dating from 70 to 40 my old, discovering among others shark teeth, remains of penguins and even marsupial jaw bones, besides fossilized trees of almost a meter wide. This evidence supports the theory that there were land connections between South America, Antarctica and Australia. This connection was Gondwana, the southern super-continent splitting into two large blocks during the Jurassic (160 my). The eastern block eventually became Australia, Antarctica, India and Madagascar, while the western one in South America and Africa. During the early Cretaceous (115 my) the continental masses started to move southward. The tip of the Antarctic Peninsula kept its position close to the southern end of South America at least until 35 my, during the middle Tertiary.

Which results more appealing than the extraordinary Antarctic wildlife? The productive marine environment and one of its key elements, the krill, have allowed the existence of a great diversity of seabirds and marine mammals. Let us journey into discovery, through this book, the fascinating fauna which abound in the seas and coasts of the last continent, Antarctica.

Península Antártica

La Península Antártica es una proyección de tierra y hielo que rompe la aparente simetría radial del continente blanco. Se origina aproximadamente a 75ºS, extendiéndose hacia el norte hasta los 62ºS, casi alcanzando el extremo austral de Sudamérica. Es por lo tanto, la región más accesible de la Antártica y posible de visitar luego de navegar durante un par de días por el tormentoso Mar de Drake. El extremo norte de la Península se encuentra rodeado por un conjunto de abruptas islas conocido como Islas Shetland del Sur.

La Antártica es ciertamente un continente de superlativos, pues es el más frío, más seco y más ventoso de todos. La temperatura media anual en su parte central es de –55ºC (la más baja registrada fue de –89.6ºC), en tanto que en la costa las temperaturas son algo más estables oscilando entre los –8º y –20ºC durante el invierno y entre 1º y –2º C durante el verano. Los vientos, por su parte, oscilan entre velocidades medias de 15 a 32 kilómetros por hora, con rachas máximas que sobrepasan los 160 km/hora.

Este continente, además de tener las noches más largas durante el invierno y los días más largos en el verano, tiene marcas tales como poseer la menor cantidad de suelo, la mayor cantidad de agua dulce del mundo y estar rodeado por uno de los océanos más tempestuosos y productivos del mundo.

No olvidemos que la Antártica se haya casi completamente cubierta de hielo, y solo un 3% de su superficie se haya descubierta. El inmenso casquete de hielo, que fluye en todas direcciones hacia el Océano Austral, tiene una profundidad media de 2.000 metros (con un máximo de 4.000 m), transformando a la Antártica en el continente de mayor altitud media en el planeta. El enorme casquete ejerce además su enorme peso sobre el continente, llegando literalmente a hundirlo. Hoy en día, una significativa parte de la superficie continental

En términos geológicos la Antártica se trataría realmente de dos continentes: la Antártica oriental y la occidental, cada uno formado por enormes placas continentales, siendo la más grande, la vasta placa oriental. La segunda placa en tanto forma la Península y la Antártica occidental.

A lo largo de toda la Península aún se desarrolla actividad volcánica. La reciente actividad sedimentaria, junto con la volcánica ha favorecido la fosilización de una gran variedad de plantas y animales. Los registros fósiles más antiguos datan del Período Cámbrico, que comenzó hace unos 600 millones de años (ma). En Isla Seymour, en el Mar de Weddell, se descubrieron ricos depósitos fósiles, de entre 70 y 40 ma de antigüedad, encontrándose dientes de tiburones, restos de pingüinos e incluso partes de mandíbula de un marsupial además de árboles petrificados de hasta un metro de diámetro. Esta evidencia soporta la teoría que existieron conexiones terrestres entre Sudamérica, Antártica y Australia. Y la conexión fue Gondwana, el supercontinente austral que se dividió en dos grandes bloques durante el Jurásico (160 ma). El bloque oriental resultó finalmente en Australia, Antártica, India y Madagascar en tanto que el occidental en Sudamérica y África. Durante el Cretácico temprano (115 ma) las masas continentales comenzaron a moverse hacia el sur. La punta de la Península Antártica mantuvo una posición muy cercana con el extremo sur de Sudamérica hasta al menos hace unos 35 ma, a mediados del Terciario.

¿Que resulta más atractivo que la extraordinaria vida silvestre antártica? El productivo medio marino y uno de sus principales protagonistas, el krill, ha permitido la existencia de una gran variedad de aves y mamíferos marinos. Descubramos a través de este libro parte de la fascinante fauna que puebla el mar

Booth Island is one of the many islands located along the western flank of the Antarctic Peninsula. The Lemaire Channel extends for about 7 miles (11 km) between Booth Island and the Peninsula and it is one of the most beautiful locations in the region and an excellent site to look for whales.

Isla Booth es una de las numerosas islas localizadas en el flanco occidental de la Península Antártica. Entre esta isla y la Península se extiende por unos 11 kilómetros el Estrecho Lemaire, uno de los parajes más bellos de la región y un excelente sitio para observar ballenas.

Adélie Penguin / Pingüino de Adelia o de Ojo Blanco / *Pygoscelis adeliae*

The Adelie is the most abundant of the Antarctic penguins. Its breeding colonies may consist of tens and even hundreds of thousand individuals.

El más abundante de los pingüinos antárticos. Sus colonias reproductivas pueden albergar decenas y en ocasiones hasta centenares de miles de individuos.

Gentoo Penguin / Pingüino Papúa o de Vincha / *Pygoscelis papua*

The colonies of Gentoo Penguin, unlike other Antarctic penguins, are smaller and well scattered. Preferred nest sites are typically flat areas close to the coast, although some of their nesting colonies may be 650 feet (200 m.) above sea level and several miles inland.

Las colonias de Pingüino Papúa, a diferencia de las de otros pingüinos antárticos, son más bien pequeñas y dispersas. Para nidificar prefiere sitios planos cerca de la costa, aunque algunas de sus colonias pueden llegarse a ubicarse hasta 200 metros de altura y a varios kilómetros hacia el interior.

These penguins truly are icons of the Antarctic. Only 5 of 17 of the world's penguin species are strictly Antarctic.

Estas aves son verdaderos iconos de la Antártica. Solo 5 de las 17 especies de pingüinos del mundo son especies estrictamente antárticas.

Pingüino de Adélia / Adélie Penguin / *Pygoscelis adeliae*

Pingüino de Barbijo / Chinstrap Penguin / *Pygoscelis antarctica*

Pingüino Macaroni / Macaroni Penguin / *Eudyptes chrysolophus*

Pingüino Papúa / Gentoo Penguin / *Pygoscelis papua*

The rugged Antarctic Peninsula projects from the heart of the western Antarctic, separating the huge Ross and Weddell seas. It extends in a northeast axis and eventually terminates at 62ºS, as a group of steep islands.

La abrupta Península Antártica se proyecta desde el corazón de la Antártica Occidental, separando los enormes mares de Ross y de Weddell. Se extiende en dirección noreste hasta terminar aproximadamente en los 62ºS, como un conjunto de escarpadas islas.

Intense volcanic activity continues to affect the Peninsula and adjacent islands. Since the discovery of the Peninsula, at Deception Island, there have been numerous volcanic events recorded. In recent times, some of them have even destroyed scientific stations.

Una intensa actividad volcánica continúa afectando a la Península e islas adyacentes. En Isla Decepción, en particular, se han registrado, desde su descubrimiento, numerosos eventos volcánicos de consideración, que incluso, en tiempos recientes, han destruido asentamientos científicos.

The rugged, narrow and feared Neptune's Bellows lead to a very sheltered bay at the interior of Deception Island. This site was a center of the whaling activity in the Southern Ocean, taking place at the beginning of the 20th century.

Los escarpados, angostos y temidos Fuelles de Neptuno conducen a la protegida bahía interior de Isla Decepción. Este sitio fue un centro de la actividad ballenera en el Océano Austral, hacia comienzos del siglo XX.

Only about 2 to 3% of the surface of the Antarctic continent is free of ice. These restricted areas are essential to seabirds as they provide vital nesting sites.

Solo entre un 2 y 3% de la superficie del continente Antártico se haya libre de hielo. Estas restringidas áreas son esenciales para las aves marinas pues constituyen sus sitios de reproducción.

South Polar Skua / Salteador Polar / *Catharacta mackormickii*

Kelp Gull and its nest / Gaviota Dominicana y su nido / *Larus dominicanus*

Antarctic Tern / Gaviotín Antártico / *Sterna vittata*

Snowy Sheathbill / Paloma Antártica / *Chionis alba*

Southern Giant Petrel / Petrel Gigante Antártico / *Macronectes giganteus*

The Southern Giant Petrel is the largest petrel and a very common species of the Southern Ocean and surrounding waters of the Antarctic Peninsula. In addition they are a highly aggressive scavenger and predator. South of the Antarctic Convergence the beautiful white morph of this species is often observed.

El más grande de los petreles es una especie muy común en el Océano Austral y en aguas aledañas de la Península, donde es un agresivo carroñero y predador. Al sur de la Convergencia Antártica es frecuente observar la hermosa fase pálida de esta especie.

Northern Giant-Petrel / Petrel Gigante Subantártico / *Macronectes halli*

Light-mantled Sooty Albatross / Albatros Oscuro de Manto Claro / *Phoebetria palpebrata*

Albatrosses are the most majestic birds of the Southern Ocean. All albatross species occurring in the Southern Hemisphere nest on remote sub-Antarctic islands.

Los albatros son las aves más majestuosas del Océano Austral. Todas las especies presentes en el Hemisferio Sur nidifican en remotas islas subantárticas.

Wandering Albatross / Albatros Errante / *Diomedea exulans*

Black-browed Albatross / Albatros de Ceja Negra / *Thalassarche melanophris*

Southern Fulmar / Petrel Plateado / *Fulmarus glacialoides*

Antarctic Petrel / Petrel Antártico / *Thalassoica antarctica*

Cape Petrel / Petrel Damero / *Daption capense*

Several petrel species nest in sheltered rocky crevasses along the Antarctic Peninsula and adjacent islands.

Varias son las especies de petreles que nidifican en oquedades rocosas protegidas a lo largo de la Península Antártica e islas adyacentes.

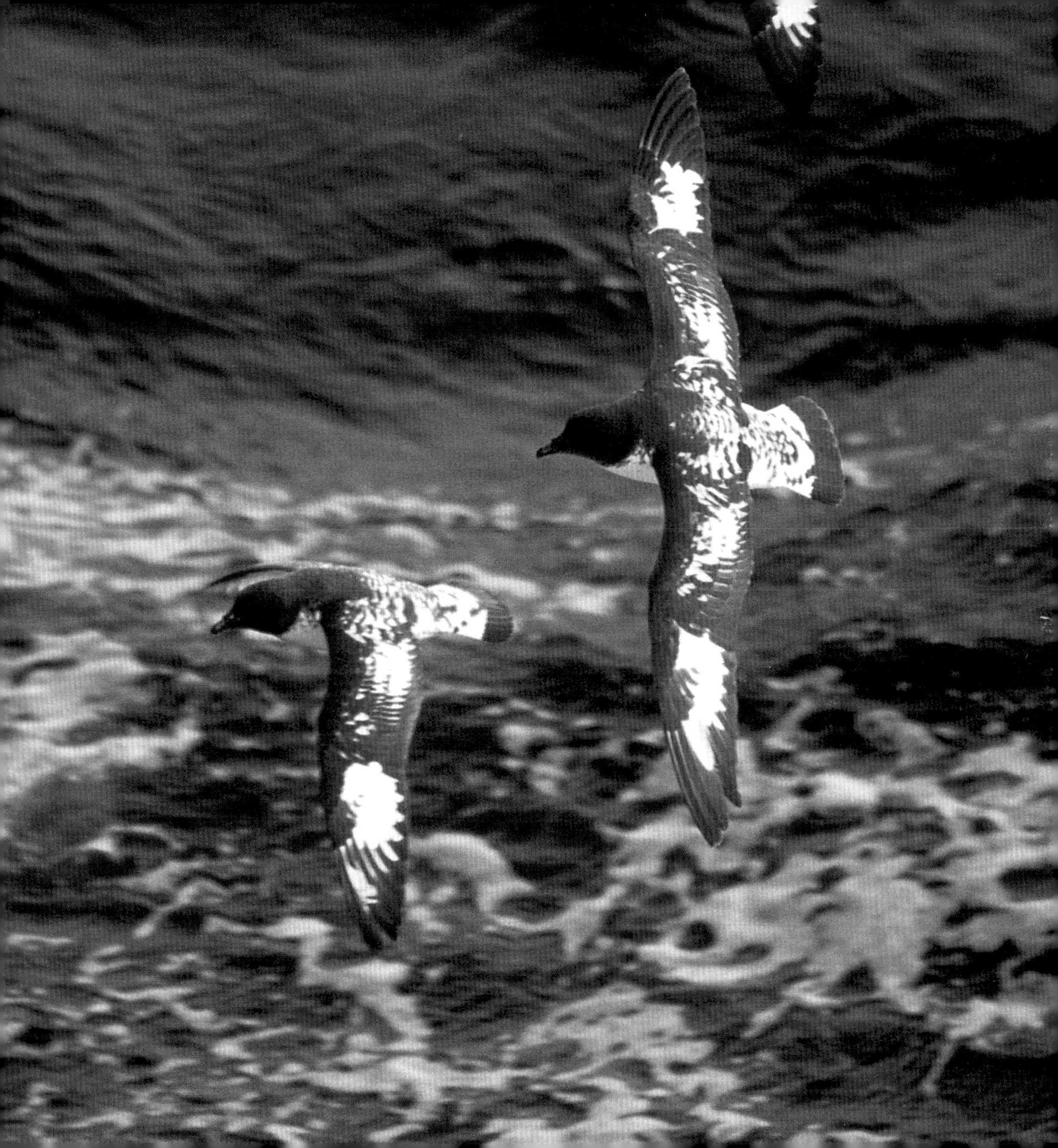

Snow Petrel / Petrel de las Nieves / *Pagodroma nivea*

Wilson's Storm-Petrel / Golondrina de Mar / *Oceanites oceanicus*

The continuous calving and fracturing of the vast ice sheet covering the Antarctic results in nearly 312,000 cubic miles (1.3 million cubic km) of ice drifting in the Southern Ocean each year.

Los continuos desprendimientos y fracturas en el vasto manto de hielo que cubre la Antártica aportan cerca de 1.3 millones de kilómetros cúbicos de hielo al Océano Austral cada año.

Narrow and spectacular, Lemaire channel, is surrounded by mountains and glaciers and is a usual pass used by several whale species moving through the sheltered routes along the Antarctic Peninsula.

Estrecho y espectacular, el canal Lemaire, rodeado de montañas y glaciares es un paso habitual para varias especies de ballenas que se desplazan a lo largo de las rutas resguardadas de la Península Antártica.

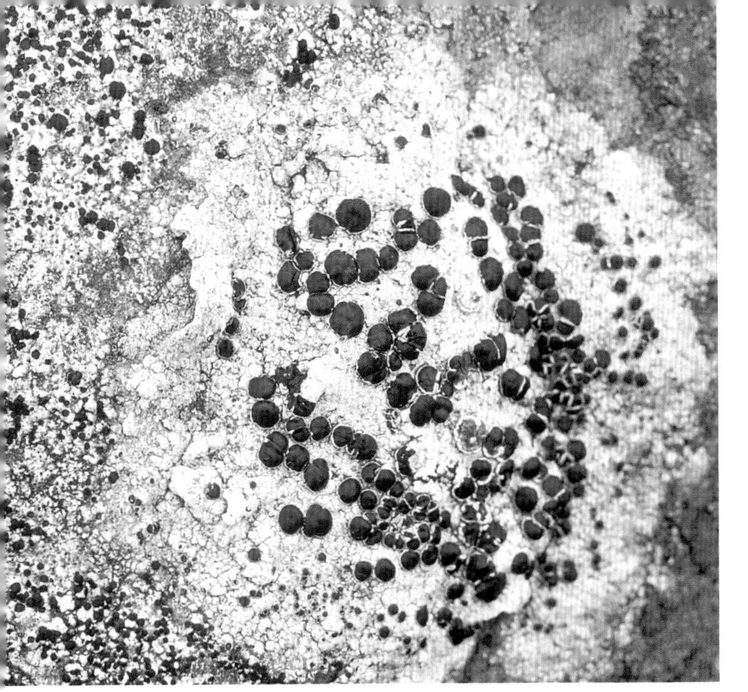

Lichens comprise the dominant land vegetation of the Antarctic with approximately 100 species. The area with the greatest lichen diversity is the sheltered, ice-free coastline of the western sector of the Antarctic Peninsula and surrounding islands.

Los líquenes componen la vegetación terrestre dominante en la Antártica con alrededor de 100 especies. Las áreas con mayor diversidad son las costas protegidas y libres de hielo del sector occidental de la Península Antártica e islas adyacentes.

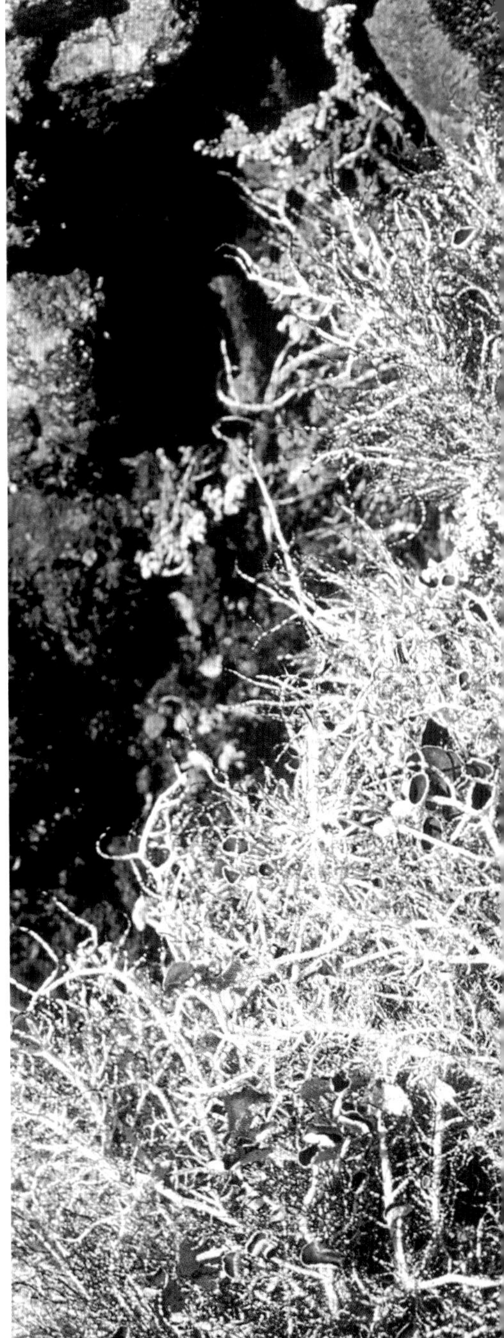

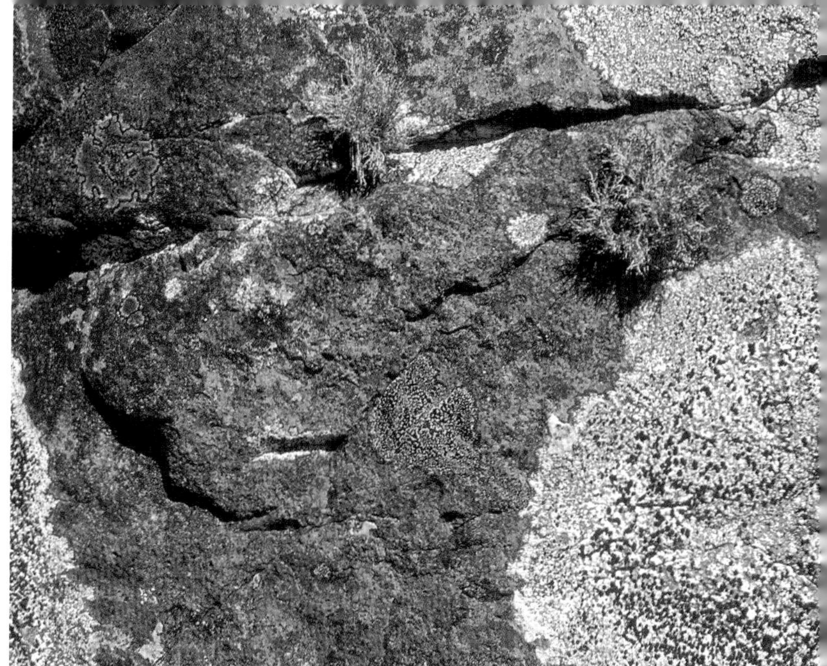

The land vegetation of the Peninsula must overcome extremely harsh conditions which limit plant development. Limiting factors include cold temperatures, low humidity and a lack of soil. The seabird colonies are areas which allow for incredible lichen species diversity due to the nutrient loads provided by the defecation from seabirds (guano).

La vegetación terrestre de la Península debe soportar condiciones muy rigurosas como las frías temperaturas, una baja humedad y la falta de suelo, que limitan su desarrollo. Las colonias de aves marinas son áreas con una exuberante diversidad de especies de líquenes debido al aporte de nutrientes contenido en sus deyecciones.

Mosses are also an important component of the land vegetation of the Peninsula, forming together with lichens, fungi and algae of what botanists refer to as cryptogamic flora. Nearly 45 species are found on the Antarctic Peninsula and adjacent islands.

Los musgos son también parte de la vegetación terrestre de la Península, formando parte junto a líquenes, hongos y algas de lo que los botánicos denominan flora criptogámica. Son cerca de 45 especies las que se encuentran en la Península Antártica e islas asociadas.

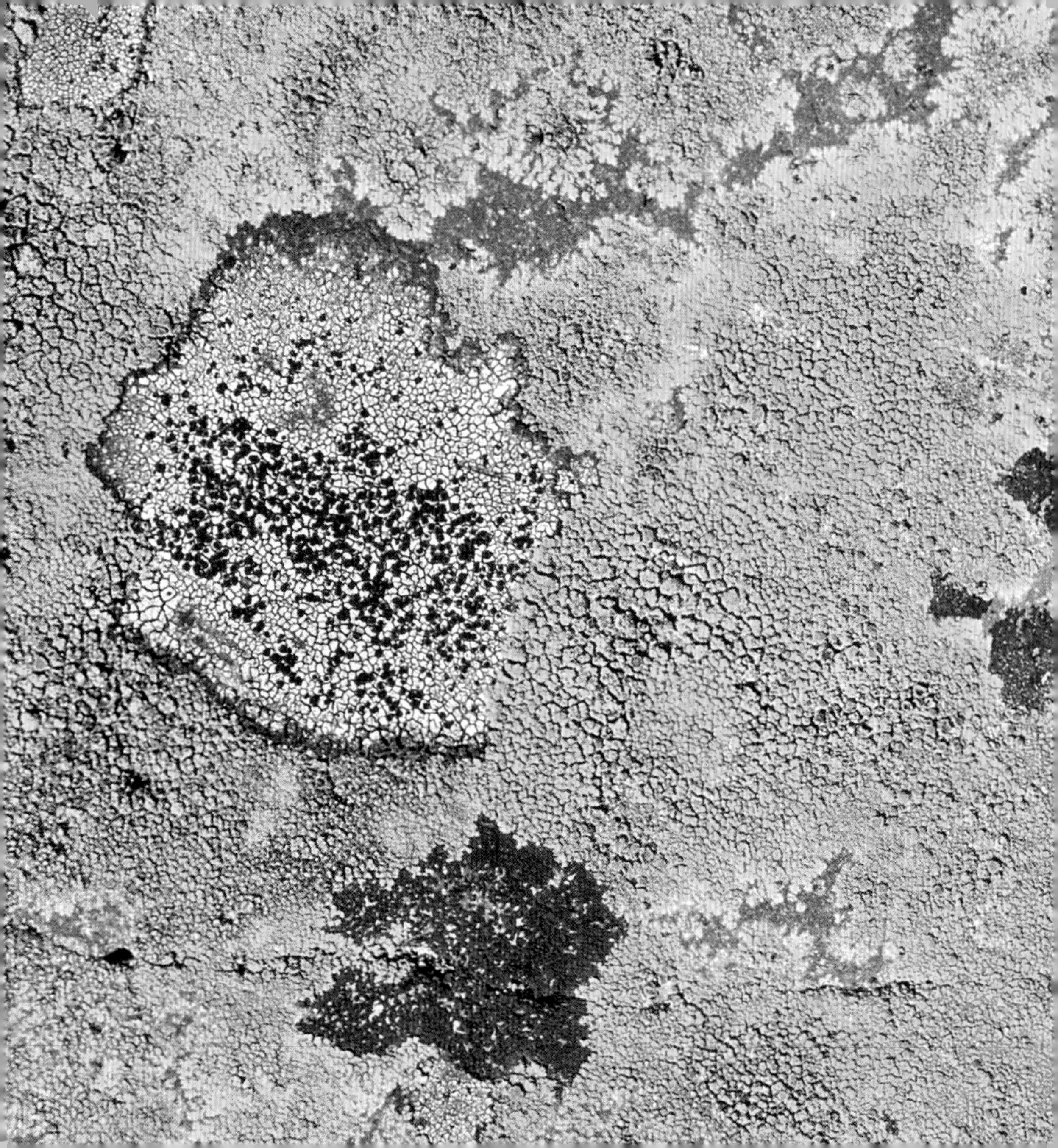

A great array of woody plant fossils, including trees with a diameter of up to 5 feet (1.5 m), have been found on some of the northern islands of the Antarctic Peninsula. These fossils originate between the Late Mesozoic and Early Cenozoic periods and belong to a very different flora than that of today.

Una gran variedad de fósiles de plantas leñosas, incluyendo restos de árboles con un diámetro de hasta un metro y medio, han sido encontrados en algunas islas del norte de la Península Antártica, y que correspondieron a una flora muy diferente a la de la actualidad, que se desarrolló entre el Mesozoico tardío y Cenozoico temprano.

In spite of the abundant plant diversity in the fossil record, currently there are only two vascular plants known to occur on the Antarctic Peninsula.

A pesar de la abundante diversidad de plantas en el registro fósil, en la actualidad solo dos especies de plantas vasculares o superiores son conocidas para la Península Antártica.

The huge icebergs are truly floating ice islands that can measure up to several hundred miles in length. These enormous ice masses are transported by the marine currents around the Antarctic continent and may take several years to eventually melt.

Los enormes icebergs son verdaderas islas flotantes de hielo que pueden llegar a medir varios centenares de kilómetros de largo. Estas enormes masas son transportadas por las corrientes marinas alrededor de la Antártica durante varios años hasta finalmente derretirse.

Antarctic Fur Seal / Lobo Fino Antártico /
Arctocephalus gazella

Southern Elephant Seal / Elefante Marino / *Mirounga leonina*

After facing the rigors of the breeding cycle and long fasting periods, males and females of this species continue to remain on land until their molt is complete.

Luego de soportar los rigores de la reproducción y de un alargado período de ayuno, tanto machos como hembras, continuarán su permanencia en tierra a fin de mudar su piel.

The male of this huge seal can reach a length of 15 feet (4.5 m) and its weight may exceed four tons, being the largest pinniped in the world.
In spite of its slow movements on land, this species is an extraordinary offshore diver, and is capable of diving several hundred feet in search of fish and squid.

El macho de esta enorme foca puede alcanzar una longitud de hasta 4.5 metros y un peso que supera las cuatro toneladas, siendo el pinípedo más grande del mundo.
A pesar de sus torpes movimientos en tierra, esta especie es un extraordinario buceador de mar abierto, capaz de sumergirse varios centenares de metros en busca de peces y calamares.

Male of Southern Elephant Seal / Macho de Elefante Marino

Female of Southern Elephant Seal / Elefante Marino hembra / *Mirounga leonina*

An exclusive inhabitant of the Southern Ocean, the Southern Elephant Seal breeds mainly on sheltered coasts on remote sub-Antarctic islands. It is a common species on the Antarctic Peninsula and its offshore islands.

Habitante exclusivo del Océano Austral, el Elefante Marino se reproduce de preferencia en costas protegidas de remotas islas subantárticas. También es una especie frecuente en la Península Antártica y sus islas exteriores.

Although mainly recognized as a fierce predator of penguins and other seals, this species is also a great consumer of krill and squid. To capture them it performs dives of up to 200 feet (60 m) deep, mostly during the twilight or at night, when its prey is closer to the surface of the ocean.

Aunque es principalmente reconocido como un voraz depredador de pingüinos y de otras focas, esta especie es también un gran consumidor de krill y calamares. Para capturarlos realiza buceos de hasta 60 metros de profundidad, principalmente durante el crepúsculo o la noche, cuando estas presas se encuentran más cerca de la superficie.

Leopard Seal / Leopardo Marino / *Hidrurga leptonyx*

Crabeater Seal / Foca Cangrejera / *Lobodon carcinophagus*

The most abundant seal in the world is also the most specialized in its diet, as it only feeds on krill. Besides being an extraordinary diver, this species also has incredibly unusual mammalian teeth, which are an adaptation for predation on small crustaceans with great efficiency.

La más abundante de las focas del mundo, es también la más especializada en cuanto a su dieta, pues solo se alimenta de krill. Además de ser un extraordinario buceador, esta especie cuenta con una de las más inusuales dentaduras entre los mamíferos, que le permite capturar estos pequeños crustáceos con gran eficiencia.

Weddell Seal / Foca de Weddell / *Leptonychotes weddelli*

To survive in the extreme Antarctic environment, the Weddell Seal has numerous physiological, anatomical and behavioral adaptations. This is an extraordinary diver, capable of diving to depths of 2,000 feet (600 m).

Para sobrevivir en el extremo ambiente antártico, la Foca de Weddell posee numerosas adaptaciones fisiológicas, anatómicas y de comportamiento. Es un extraordinario buceador, capaz de sumergirse hasta los 600 metros de profundidad.

At the beginning of the last century, Deception Island was an important center for the whaling industry in the Southern Ocean. Its effect was devastating for populations of both coastal and offshore cetaceans. Further, are the scientists who lived in the island, but most of their buildings were destroyed by the successive volcanic eruptions between 1967 and 1970.

Isla Decepción fue un importante centro para la industria ballenera del Océano Austral hacia principios del siglo pasado. Su efecto fue devastador para las poblaciones de cetáceos costeros como de mar abierto. Posteriormente, científicos habitaron la isla, pero muchas de sus instalaciones fueron destruidas por las sucesivas erupciones volcánicas entre 1967 y 1970.

During the colder months a large part of the Southern Ocean freezes, covering some 7.7 million square miles (20 million sq. km.), with an average thickness of 5 feet (1.5 m.). At the beginning of the summer, the pack ice recedes and at this time only the southernmost areas of the Peninsula and the Antarctic continent are ice covered.

Durante los meses más fríos una gran parte del Océano Austral se congela, cubriendo unos 20 millones de kilómetros cuadrados, con un espesor promedio del hielo de 1.5 metros. Al inicio del verano, la capa de hielo retrocede y solo cubre las áreas más australes de la Península y del continente Antártico.

Sperm Whale / Cachalote /
Physeter catodon

This impressive cetacean is common in the Southern Ocean. Only the adult males, which may measure up to 59 feet (18 m.) in length and weigh up to 70 tons, are able to tolerate the southernmost cold Antarctic waters.

Este impresionante cetáceo es de presencia común en el Océano Austral. Sólo los machos adultos, que llegan a alcanzar los 18 metros de largo y las 70 toneladas de peso, son capaces de tolerar las frías aguas antárticas.

This predator of large squid can submerge for up to an hour reaching incredible depths, even exceeding 3,300 feet (1.000 m.). In order to locate its prey in the total darkness, they use echolocation.

Este devorador de grandes calamares puede sumergirse hasta por una hora y alcanzar increíbles profundidades, llegando a sobrepasar los 1.000 metros. Para localizar sus presas en la total oscuridad, utiliza la ecolocación.

Killer Whale / Orca / *Orcinus orca*

Patrolling the edge of the frozen sea and always traveling in pods that include individuals of both sexes and all ages, the Killer Whale is a common species long the Antarctic Peninsula and Weddell Sea. On the Antarctic, Orcas feed primarily on penguins, seals, squid, fish and occasionally other cetaceans such as Minke Whales.

Patrullando el borde del mar congelado y siempre viajando en grupos que incluyen ambos sexos y todas las edades, la Orca es una especie más bien común en la costa de la Península y Mar de Weddell. En la Antártica se alimenta principalmente de pingüinos, focas, calamares, peces y hasta de otros cetáceos como la Ballena Minke.

The Humpback Whale is one of the most characteristic cetaceans of the coastal waters of the Antarctic Peninsula. Each summer they arrive here to feed on krill, and are capable of consuming up to 2 tons of krill each day.

La Ballena Jorobada es uno de los cetáceos más característicos de aguas costeras de la Península Antártica. Cada verano llegan hasta aquí para alimentarse de krill, siendo capaces de consumir hasta dos toneladas por día.

Humpback Whale / Ballena Jorobada / *Megaptera novaengliae*

Fin Whale / Ballena de Aleta / *Balaenoptera physalus*

Reaching a length of 85 feet (26 m.) and exceeding 80 tons in weight, this fast-swimming cetacean is the second largest of the world's whales. The Fin Whale regularly occurs in waters of the Drake Passage and the Scotia Sea.

Llegando a alcanzar los 26 metros de largo y sobrepasar las 80 toneladas de peso, este rápido cetáceo es el segundo mamífero más grande, luego de la Ballena Azul. Es de ocurrencia regular en aguas del Paso Drake y Mar de Escocia.

I watched the sky a long time, concluding that such beauty was reserved for distant, dangerous places and that nature has good reason for exacting her own special sacrifices from those determined to witness them…

Observé el cielo por un largo rato, concluyendo que tal belleza estaba reservada sólo a lugares distantes y peligrosos, y que la naturaleza tenía buenas razones para demandar sacrificios especiales de quienes están determinados a presenciarla…

Ad. Richard E. Byrd – Alone (1938)